Call It Super...because

We Love Growing Up in Africa

C'est Super...parce que

Nous Adorons Grandir en Afrique

ENGLISH & FRENCH

DR. ADRIENNE T. HUNTER

Life's Humble Hunt ® Prints & perDraft
EDITORIAL SERVICES

COPYRIGHT

Call It Super...because: We Love Growing Up in Africa
Copyright © 2020 *by* Dr. Adrienne T. Hunter
www.adriennethunter.com

Published & Produced by Life's Humble Hunt ® Prints
www.lifeshumblehunt.com
Edited & Designed by perDraft Editorial Services™
www.perdraft.com

ISBN (paperback): 978-1-7353231-4-5
ISBN (e-book): 978-1-7353231-5-2
Library of Congress Control Number: 2020945437

Printed in the United States of America

COPYRIGHT

C'est Super...parce que: Nous Adorons Grandir en Afrique
Copyright © 2020 par le docteur Adrienne T. Hunter
www.adriennethunter.com

Publié et produit par Life's Humble Hunt® Prints
www.lifeshumblehunt.com
Mis en page et conçu par perDraft Editorial Services™
www.perdraft.com

ISBN (livre couverture souple): 978-1-7353231-4-5
ISBN (e-book) 978-1-7353231-5-2
Numéro de contrôle de la Bibliothèque du Congrès: 2020945437

Imprimé aux États-Unis d'Amérique

DEDICATION

Moving to Africa when you were a one-year-old & newborn was one of the best decisions we ever made as parents. Even through different experiences of change & growth while getting adjusted, raising you here in has been the biggest joy we could imagine. One of my sweetest memories is of you each using the terms "super" and "because" so proudly and confidently as you learned to express yourselves. This book is dedicated to your love: charismatic, intelligent, fearless, culturally-sensitive, bold, & handsome African princes...

Isra & Naum

DÉVOUEMENT

Partir en Afrique alors que l'un de vous avait un an et l'autre venait de naître a été l'une de nos meilleures décisions en tant que parents. Même au cours des différentes expériences parfois étranges nécessaires à notre adaptation, vous élever ici a été la plus grande joie que nous aurions pu imaginer. L'un de mes plus beaux souvenirs est de vous entendre utiliser les "super" et "parce que" avec un tel sentiment de fierté et de confiance en vous lorsque vous avez appris à vous exprimer. Ce livre vous est dédié, mes princes africains charismatiques, intelligents, sans peur, ouverts sur le monde, beaux et audacieux...

Isra & Naum

Hi! We are Isra and Naum.
It is such a pleasure to share our journey with you!

We are proud to grow up learning about different cultures, nature, foods, customs, and art from countries around the world.

Bonjour! Nous sommes Isra et Naum. C'est un vrai plaisir de partager notre voyage avec vous!

Nous sommes fiers de grandir en découvrant la culture, la nature, la gastronomie, des coutumes et les arts de pays de monde entier.

Africa is our native land and our home.

L'Afrique est notre terre natale et notre maison.

Malawi was the first African country we lived in. The flight was over 20 hours long, so we slept for most of the trip! We even spent a night in South Africa when en route, which was really a great experience.

Le Malawi a été le premier pays africain où nous avons vécu. Le vol a duré plus de 20 heures, et nous avons dormi pendant la plus grande partie du voyage! Nous avons même passé une nuit en Afrique du Sud en cours de route, ce qui était une très bonne expérience.

Isra blossomed in his new environment and Naum took his first steps in Malawi.

We enjoyed spending each day in the garden. Exploring and enjoying nature were our favorite activities.

Isra a poussé dans son nouvel environnement et Naum a fait ses premiers pas au Malawi.

Nous adorions passer chaque jour dans le jardin. L'exploration et les jeux dans la nature étaient nos activités préférées.

We also visited Lake Malawi!

Did you know that the lake has hundreds of species of exotic fish?

Nous avons également visité le lac Malawi!

Vous saviez que le lac compte des centaines d'espèces de poissons exotiques?

When we went to Zimbabwe, we went on our first safari. The jeep ride was a breeze and the weather was fantastic. Getting close to the animals was an amazing experience.

Lorsque nous sommes allés au Zimbabwe, nous avons fait notre premier safari. Le trajet en jeep était très agréable et le temps était fantastique. C'était une expérience incroyable de se rapprocher ainsi des animaux.

Which animals do you like?

We saw a leopard, lion, buffalo, and even elephants for the first time! We absolutely love animals.

Quels animaux aimez-vous?

Nous avons vu un léopard, un lion, un buffle et même des éléphants pour la première fois! Nous adorons les animaux.

Next, we moved to Liberia where we ate some of the best West African food ever!
Our favorites were peppered potato greens, jollof rice, palm butter soup, plantains, and bong fries.

What is your favorite food?

Ensuite, nous avons déménagé au Libéria où nous nous sommes régalés avec la meilleure nourriture d'Afrique de l'Ouest!

Nos plats préférés étaient les pommes de terre vertes poivrées, le riz jollof, la soupe au beurre de palme, les bananes plantain et les frites de manioc.

Quel est votre plat préféré?

Liberia is located on the Atlantic Ocean and was so welcoming to us. The country also had the most amazing sunsets.

Le Libéria est situé sur l'océan Atlantique et nous avons été très bien accueillis. C'est aussi là que nous avons vu les plus beaux couchers de soleil.

We then visited Sierra Leone.
This is one of the countries of our heritage and roots.
The beaches were lovely.

Nous avons ensuite visité la Sierra Leone.
C'est l'un des pays où nous avons des racines. Les
plages étaient magnifiques.

Did we mention that we love animals?

We learned a lot while visiting the chimpanzees.

Avons-nous mentionné que nous adorons les animaux?

Nous avons beaucoup appris en rendant visite aux chimpanzés.

We even played the xylophone and drums at the national museum while the tribal dancers watched us in spirit.

What types of music do you enjoy?

Nous avons même joué du xylophone et de la batterie au musée national pendant que les danseurs tribaux nous observaient en esprit.

Quels types de musique aimez-vous?

We then went to Côte d'Ivoire (Ivory Coast) for New Year's. There, we immersed in learning about even more cultural artifacts.

What type of art do you like?

Nous sommes ensuite allés en Côte d'Ivoire pour le Nouvel An. Là-bas, nous avons découvert l'histoire de nombreux artefacts artistiques.

Quel type d'art aimez-vous?

This is the country where Isra fed an African elephant!

C'est le pays où Isra a nourri un éléphant!

It is also where Naum fed ostriches and saw turtles for the first time.

C'est aussi le pays où Naum a nourri des autruches et a vu des tortues pour la première fois.

Traveling to Ghana was also a huge treat. We spent time with loved ones and played on a playground.

Le voyage au Ghana a également été très plaisant. Nous avons passé du temps avec nos proches et nous nous sommes amusés sur un terrain de jeu.

We also had the best fresh coconuts in Ghana!
Have you ever tasted a coconut?

Nous avons aussi mangé les meilleures noix de coco
fraîches du Ghana!

Avez-vous déjà goûté une noix de coco?

Spending time as a family in Senegal was quite the adventure. Our aunts, cousin, and family friends met us there to celebrate mama's birthday.

Les moments en famille au Sénégal, c'était toute une aventure. Nos tantes, notre cousin et nos amis de la famille nous y ont rejoints pour fêter l'anniversaire de Maman.

We visited Gorée Island, Lac Rose (Pink Lake), went on another safari, and embraced the amazing view of the African Renaissance Monument.

Nous avons visité l'île de Gorée, le lac Rose, nous avons fait un autre safari et nous avons profité de la vue imprenable sur le Monument de la Renaissance Africaine.

When we moved to Rwanda, we witnessed one of the cleanest cities we have ever seen.
The hills were green and very peaceful.

En arrivant au Rwanda, nous avons pu voir l'une des villes les plus propres que nous ayons jamais vues.
Les collines étaient vertes et très paisibles.

We also had so much fun learning about the traditional culture. Our minds are open, and we are so grateful to learn about diversity every day. We were surrounded with other children who were innocent, loving, and genuinely happy.

Nous avons également eu beaucoup de plaisir à découvrir la culture traditionnelle. Nous avons l'esprit ouvert, et nous sommes reconnaissants d'apprendre chaque jour à connaître et apprécier la diversité. Nous étions entourés d'autres enfants innocents, aimants et vraiment heureux.

Our Rwandan friends did not speak English, but we still had fun playing sports together. Thankfully, they taught us how to speak some French!

Do you speak multiple languages?
What language will you like to learn?

Nos amis rwandais ne parlaient pas anglais, mais nous nous sommes quand même amusés à faire du sport ensemble. Heureusement, ils nous ont appris à parler un peu de français!

Parlez-vous plusieurs langues?
Quelle langue aimeriez-vous apprendre?

Then, our daddy's job relocated to Uganda. It is a country that is close by. The flight was very quick. It was only 38 minutes long this time.

Ensuite, le travail de notre père a été déplacé en Ouganda. C'est un pays proche. Le vol était très rapide. Il n'a duré que 38 minutes.

Even when Uganda was on a strict lockdown due to a global pandemic, we still remained happy and grateful. We did many learning activities inside and even became superheroes.

Même lorsque l'Ouganda était strictement confiné en raison d'une pandémie mondiale, nous sommes restés heureux et reconnaissants. Nous avons fait de nombreuses activités pédagogiques chez et nous sommes même devenus des super-héros.

Being on this rich and beautiful continent has helped us to become more adaptable, courageous, and self-reliant.

And the daily horizon reminds us of how blessed we are...

We love growing up in Africa.

Le temps passé sur ce continent riche et magnifique nous apprend à nous adapter et nous a rendus plus courageux et plus autonomes.

Et l'horizon est un rappel quotidien de notre chance...

Nous adorons grandir en Afrique.

We Call It Super...because...

C'est Super...parce que...

ABOUT THE AUTHOR

Dr. Adrienne created the *Call It Super...because* collection for young citizens to appreciate the world and have confidence in who they are. Each journey is influenced by global childhood experiences. The stories share different virtues that aid in the development of balanced, joyful, & open-minded beings. As a global health informaticist & best-selling author, she enjoys living abroad in Africa where she embraces a nomadic life with her husband & their third-culture children who have also been contributors & inspiration for this vision.
Peace & Light!

À PROPOS DE L'AUTEUR

Le docteur Adrienne a créé la collection *C'est Super...parce que* pour permettre aux jeunes citoyens d'apprécier le monde et d'avoir confiance en ce qu'ils sont. Chaque voyage est influencé par des expériences véritables d'enfants du monde. Les histoires partagent différentes vertus qui aident au développement d'êtres équilibrés, joyeux et ouverts d'esprit. Spécialiste en informatique médicale de rang mondial et auteur de best-sellers, elle a fait de l'Afrique sa nouvelle maison, où elle mène une vie nomade avec son mari et leurs enfants aux cultures métissées, qui ont également contribué et inspiré cette vision. *Paix et lumière!*

Made in the USA
Middletown, DE
30 March 2022

63393530R00033